The Alphabet Book

A Random House PICTUREBACK®

P. D. Eastman

THE ALPHA

Random House New York

I belong to
THE BEST BOOK CLUB EVER™
This is my book.

My name is

....

Will you please read it to me?

A

American ants

A B C D E F G H I J K L M N O P Q R S T U V W X Y Z

B

Bird on bike

C

Cow in car

A B C D E F G H I J K L M N O P Q R S T U V W X Y Z

A
B
C
D
E
F
G
H
I
J
K
L
M
N
O
P
Q
R
S
T
U
V
W
X
Y
Z

D

Dog with drum

Elephant on eggs

A
B
C
D
E
F
G
H
I
J
K
L
M
N
O
P
Q
R
S
T
U
V
W
X
Y
Z

Fox with fish

G

Goose with guitar

A
B
C
D
E
F
G
H
I
J
K
L
M
N
O
P
Q
R
S
T
U
V
W
X
Y
Z

A B C D E F G H I J K L M N O P Q R S T U V W X Y Z

H

Horse on house

I

Indian with ice cream

A B C D E F G H I J K L M N O P Q R S T U V W X Y Z

A
B
C
D
E
F
G
H
I
J
K
L
M
N
O
P
Q
R
S
T
U
V
W
X
Y
Z

J

Juggler with jack-o'-lanterns

K

Kangaroos with keys

A B C D E F G H I J K L M N O P Q R S T U V W X Y Z

ABCDEFGHIJKLMNOPQRSTUVWXYZ

L

Lion with lamb

M

Mouse with mask

A
B
C
D
E
F
G
H
I
J
K
L
M
N
O
P
Q
R
S
T
U
V
W
X
Y
Z

A B C D E F G H I J K L M N O P Q R S T U V W X Y Z

N

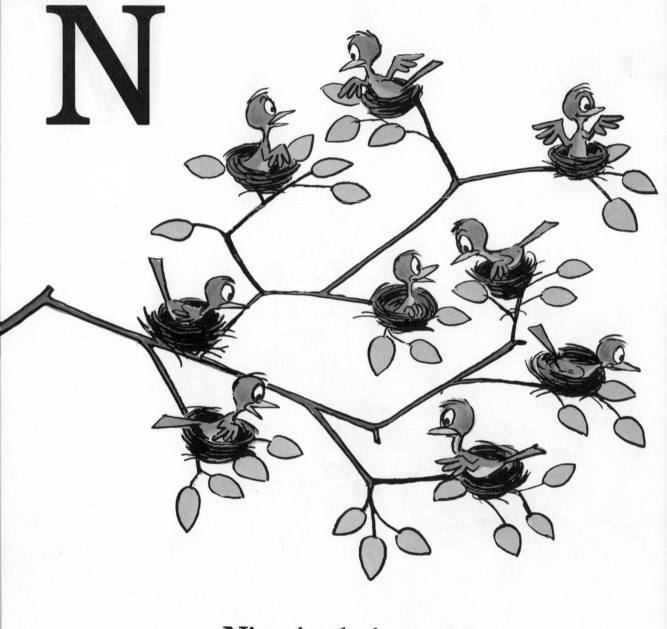

Nine in their nests

O

Octopus with oars

P

Penguins in parachutes

Queen with quarter

A
B
C
D
E
F
G
H
I
J
K
L
M
N
O
P
Q
R
S
T
U
V
W
X
Y
Z

A
B
C
D
E
F
G
H
I
J
K
L
M
N
O
P
Q
R
S
T
U
V
W
X
Y
Z

R

Rabbit on roller skates

S

Skunk on scooter

A B C D E F G H I J K L M N O P Q R S T U V W X Y Z

T

Turtle at typewriter

U

Umpire under umbrella

A B C D E F G H I J K L M N O P Q R S T U V W X Y Z

A B C D E F G H I J K L M N O P Q R S T U V W X Y Z

V

Vulture with violin

W

Walrus with wig

A B C D E F G H I J K L M N O P Q R S T U V W X Y Z

A B C D E F G H I J K L M N O P Q R S T U V W X Y Z

X

Xylophone for Xmas

A B C D E F G H I J K L M N O P Q R S T U V W X Y Z

A
B
C
D
E
F
G
H
I
J
K
L
M
N
O
P
Q
R
S
T
U
V
W
X
Y
Z

Y

Yak with yo-yo

Zebra with zither

A B C D E F G H I J K L M N O P Q R S T U V W X Y Z

Z